© Olivier Orban, 1986
ISBN 2.85565.341.X

La Féerie
du
Champagne

Michel Rachline

La Féerie
du
Champagne

Rites et symboles

Olivier Orban
Canard-Duchêne

Et d'abord...

L e champagne sommeille toujours en nous, comme tous nos rêves. Un jour, un soir, un matin même, il se réveille et respire, notre bonheur lui donne vie. En effet, chaque être humain possède, inscrite dans son cœur, la mesure de sa joie. Et le champagne défie le temps, en rythme les gammes. Féminine et puissante, virile et délicate, la voix du champagne est celle de la douceur où baigne notre terre parmi les astres. Le champagne est encore un symbole, profondément enraciné dans la culture française, dont il calme les tensions ou exalte les vertus faites de bonne argile paysanne et d'esprit voltairien. L'art français tout entier semble composé d'un solide tissu transparent, à travers lequel se découvrent les paysages de l'âme humaine transformée par la grâce.

Il n'est pensée vraiment française qui ne se traduise en termes d'équilibre ; il n'est chef-d'œuvre de France, tel notre champagne, qui ne s'évalue à l'aune du bon goût. Il y a là une sorte de mystère insondable, qu'il ne faut point sonder mais constater, en se réjouissant que notre monde contienne, malgré les progrès techniques, des secrets apparentés à la Création.

Le champagne instaure dans notre existence la loi rituelle du plaisir. Plus et mieux que le vin, il invente pour l'esprit de blanches, de blondes et mauves

La galaxie frissonnante comme l'écume du champagne

apothéoses, car il en va de lui comme des fleurs, il colore, embaume, embellit nos horizons. Semblable au sentiment qui unit l'homme à sa patrie, le champagne est unique. Nul doute que d'autres terres puissent produire de bons vins et d'excellents alcools. De champagne, jamais ! Il appartient à la France et encore, à une seule région, crayeuse, où la vigne miraculée consent à épanouir ses pampres dans l'axe du soleil et du ciel, doigt et vêtement d'un dieu.

Ainsi le champagne a-t-il formé peu à peu les éléments d'un mythe nouveau. D'ailleurs, des grands éléments du monde, il a les audaces et les formes. L'écume de la mer, les parfums du vent, la vigueur de l'orage, la douceur d'une pluie d'été aux perles de nacre, la fraîcheur d'un bel hiver, la tranquille assurance terrestre qui rassure et séduit, toutes les manifestations de la nature sont les échos d'un poème universel comparable au sorcier champagne. Dans les failles lointaines où s'élaborent les songes, ceux du corps et du cœur, voici que paraissent en cortège les fées bienfaisantes d'un génie dansant ; l'intelligence, la sensualité, le charme sont les muses de cet artiste, qui cisèle d'une touche légère l'or de nos émotions.

1

Les nobles références du champagne

SUR DES LETTRES
D'ÉCUME ET DE PERLES

Il ne se trouve peut-être pas de peuple au monde plus sensible à sa culture que le peuple français. Quelque chose a béni la France parmi les nations ; la géographie, l'histoire, l'esprit se sont assemblés pour organiser des miracles séculaires où se rencontrent beauté des paysages et saveur de la vie quotidienne. La France est une féerie en elle-même, un navire terrestre rempli de trésors, qui vient chercher dans les vagues et les ciels de ses océans le sel du bonheur.

On doute si les lettres ont exalté les vertus du champagne, ou si le champagne, au contraire, a suscité bien des vocations... Le symbole est si fort, que certains auteurs n'hésitent pas à l'offrir aux dames en hommage érotique à peine voilé : « C'est de l'aimable secousse de nos esprits enflammés que naît la brillante mousse... »

D'emblée, le champagne évoque les femmes. Et la littérature française ne s'est pas fait faute, à travers ses écrivains féminins, qui comptent parmi les plus grands, d'iriscr ses personnages et ses extases lyriques de flûtes enchantées d'où jaillissent les corolles ondoyantes de ce vin. Colette, qui savait comment l'esprit vient aux filles, a mis dans la bouche de Mitsou cette vigoureuse affirmation : « C'est meilleur que le pinard, hein ? » Certes ! Sans ôter rien au « pinard » de ses qualités, les femmes de goût, héroïnes de romans ou de la vie, ont raison de lui préférer le champagne... C'est que le champagne est une parure ; il ajoute, comme un vêtement léger, à la grâce d'une lèvre qui s'y dépose et, dans le pétillement dont le palais s'excite, les écrivains ont su déceler comme les premiers propos de l'amour.

Henri Troyat a tout dit en écrivant : « ... Les autres tables avec leur petit bordeaux, leur mâcon léger et leurs fades eaux minérales faisaient pauvre figure auprès de ce guéridon de luxe où se consommait le vin pétillant de la joie. » (*Tendre et Violente Elizabeth*.)

SUR DES TOILES D'OMBRES ET D'OR

Mais le champagne, s'il se lit, se voit également. On ne concevrait pas, sans doute, qu'un vin si beau, créateur lui-même de beautés — verres, bouteilles, transparence de ses robes — n'eût pas inspiré ces capteurs de toutes les beautés que sont peintres, graveurs, dessinateurs. Le champagne passe vite, comme toutes choses rares et douces, et l'art le saisit dans son vol afin de consoler un instant de cette fuite exquise les amateurs éplorés ; heureusement, ils vont encore et toujours puiser aux sources vives de la nature et du génie humain... Pourtant, la représentation d'un plaisir en augmente les charmes ;

Le champagne est de toutes les fêtes

et si les grands peintres ont peu montré le champagne, malgré des exceptions importantes, c'est peut-être que l'on ne touche à la perfection qu'avec nostalgie et qu'une aimable inquiétude a retenu ces mains habiles, hésitantes devant tant de mystère...

Louis XV, le plus français peut-être de nos rois, n'a pas manqué de commander à des De Troy, à des Lancret, les toiles qui, ornant la salle à manger des retours de chasse à Versailles, toiles où le champagne, déjà pétillant, aiguisait la fine soif des princes qui appréciaient les faveurs de leur maître, chantaient la joie. Il en est d'autres. Watteau, Manet, Cézanne, Braque, Toulouse-Lautrec, Magritte et Dali n'ont pas négligé le champagne. Enfin, on ne saurait oublier Foujita qui, après avoir poussé le goût de l'Occident jusqu'à se convertir au christianisme, a honoré le champagne en décorant une chapelle, dans la ville même de Reims, où les grappes divines figurent en bonne place.

Étrangement, c'est à un homme au nom prédestiné que l'on doit les plus belles gravures consacrées au champagne. Gustave Doré, dans *Le Vin de Champagne*, a fait d'un fou ailé, sur un croissant de lune, le symbole à la Cyrano de ce vin qui favorise des voyages sur les coursiers de l'esprit.

Le champagne est musique

SONORE ET D'UNE
PORTÉE MUSICALE...

Mais le champagne, s'il se lit et se voit, s'entend. Le bruit d'un bouchon qu'il ne faut pas forcer, la danse des bulles qui montent et s'égaillent, le ravissant soupir de l'écume qui s'apaise, composent aux oreilles la symphonie unique d'une élégance auditive, privilège du vin blond. Les yeux fermés, l'oreille tendue, on reconnaît le champagne et le froissement de sa robe, comme l'arrivée d'une femme aimée, et qui sait rire et qui ne dédaigne pas d'offrir son âme dans une musique prometteuse. Le champagne semble le souffle de la musique, pareil à ces volutes lointaines qui annoncent, dans les récits d'aventures, la présence de la danse et des rites célestes. Le champagne console, guérit, ses rythmes forment dans le cœur des maudits les sons dont ils savent embaumer leurs tristesses. N'est-ce pas Wagner lui-même, navré de l'échec subi par *Tannhäuser*, qui écrit au comte Chandon de Briailles ce mot mélancolique et cependant plein d'espoir : « Très cher ami, je n'aurais jamais pu me consoler de mon chagrin ces dernières semaines... Croyez-moi, ce vin magnifique que vous m'avez envoyé s'est révélé le seul moyen de me rendre goût à la vie et je ne peux que vanter l'effet qu'il a eu sur moi et sur les personnes qui m'entouraient, à un moment où il y avait tant de choses que je voulais oublier. » N'est-ce pas Mozart, qui, selon son père, aimait et buvait le champagne ? Et Verdi, n'a-t-il

pas mis dans les mains de Germont, quand il s'adresse à Violetta, une coupe de champagne qui fait frémir la Traviata ?

Le champagne est une émotion vivante ; il possède cette vertu des miracles qui nous touche par tous nos sens avant que de s'emparer de nous. Oh ! cette musique et ce cristal sonore, cette fugitive pluie de notes qui nous ravissent et ne sont pourtant que les tout premiers échos d'un bonheur plus vif...

Sur les portées du monde, s'inscrivent régulièrement les menuets, les valses, les gavottes et, pourquoi pas, les javas et les rocks dont les humains s'amusent et se délassent. Entre les notes, depuis toujours, coulent les larmes fraîches du champagne. Garçons et filles, hommes et femmes y désaltèrent la soif éternelle du bonheur.

DERRIÈRE UN GRAND VOILE DE VELOURS...

Théâtre, faux marbres, faux ors, deux heures de joie entre trois faux murs, illusions, chimères, personnages inventés en qui l'on croit, héros de carton : parfois, ces masques vivent réellement et quand l'auteur les aime d'amour, il leur accorde une faveur enviée : leur donner du champagne à boire !

Que boit-on d'autre dans *La Chauve-Souris* ? Non seulement on en boit, mais on la chante, la douceur du champagne : « Sa Majesté Champagne est Roi. Rangeons-nous sous sa loi ! Vive le Champagne ! C'est lui

L'opérette la plus champagnisée

Décor pour un ballet féerie (le rossignol)

le vrai Roi ! » Sans doute les vers sont-ils de mirliton et
Racine les eût désavoués, mais leur précision honore
comme il faut un vin qui passe dans la pièce comme
un fleuve écumant...

La Chauve-Souris est bien trop célèbre ; on ap-
prendra peut-être avec plus d'intérêt que le sérieux
Richard Strauss a écrit une comédie *Arabella*, avant
Vadim, et que son héroïne Mandryka aime à offrir du
champagne à tout le monde... Il faut moins apprécier
le titre d'une revue évidemment américaine, *Champagne in a Cardboard Cup* (*Champagne dans un
gobelet de carton*), idée qui fait hurler tout amateur...
Peu importe ! Ce qui compte, une fois encore, c'est le
symbole ; sur terre, sur mer, dans les airs ou sur les
scènes, le champagne illustre cet « un peu plus de
vie » imaginé par Proust, ce besoin d'être soi toujours
davantage, toujours plus haut, ce dédoublement de
l'âme qui est l'une des sources du théâtre et que le
champagne, intelligemment bu, respiré, propose à
l'homme ébloui par la « clarté des lampes », à
l'homme dont le cœur a soif d'absolu.

SUR L'ÉCRAN BLANC
DE NOS RÊVES

Sûrement, le cinéma a beaucoup œuvré en faveur du champagne ! Que de bouteilles ouvertes ! Que de mariages, de naissances, d'amitiés célébrés au champagne... Pas un acteur fameux qui n'ait porté à ses lèvres la coupe de la gloire ou de l'amour ; pas un combat remporté sans champagne, et c'est justice.

Pourtant, il me semble qu'une seule scène, parmi toutes celles du cinématographe, comme disait Cocteau, résume le champagne-paradis ; qu'une seule femme — ne l'appelait-on pas la Divine ? — a su incarner la magie, le rayonnement, la perfection de ce symbole féerique de la France. Dans *Ninotchka*, Greta Garbo, commissaire du peuple soviétique, en visite d'inspection à Paris, tombe amoureuse d'un homme qui contrarie ses projets. Pour lui, elle s'habille de la manière la plus élégante ; pour lui, elle accepte de dîner dans un restaurant à la mode où elle doit affronter une rivale. Elle n'a jamais bu de champagne. Son amoureux lui en offre. Si l'on doit prendre une leçon de comédie, cette scène est un exemple. La plus belle bouche du cinéma s'entrouvre doucement ; la coupe s'insinue et le vin humecte des lèvres tracées par

Vinci ; Garbo boit. Oh ! le champagne pique d'abord...
Mais, comme c'est bon ! Elle ne dit rien, pas tout de
suite ; les yeux seuls, l'expression du visage révèlent
au spectateur les délices découvertes par cette brave
inspectrice en mission, transfigurée par une coupe ;
puis elle parle : « It's good ! » C'est bon... Encore ! Elle
en reprend, elle en reprend beaucoup mais, bien sûr,
elle ne sera pas ivre, « pompette » seulement, gaie,
heureuse, une autre femme. Sans avoir presque rien
dit, Mademoiselle Garbo a donné au monde entier et
pour jamais, un cours de grâce, de charme et de
savoir-vivre. Sans un mot, elle a rendu au champagne
l'hommage qu'il mérite : c'est bon et cela rend
heureux. Les autres actrices peuvent bien boire ce
qu'elles veulent, Garbo a décidé, dans ce film,
comment une femme se métamorphose dans les
reflets éclatants du soleil...

Le plus célèbre toast du cinéma (Greta Garbo)

Entre Mallarmé et Barrès

« Le contact s'établit et Barrès fut étourdissant. Mallarmé lui donnait la réplique, en transposant ses réflexions dans le royaume imaginaire, mi-abstrait, mi-concret, dont il était le subtil et délicieux souverain. A force de faire alterner le champagne doux et le champagne sec, histoire de comparer leurs pointes brillantes, nous étions arrivés à une grande béatitude, à une conception presque musicale — ou du moins nous paraissant telle — de l'univers et de la destinée... » (Léon Daudet.)

« Si le champagne a bien servi les artistes et les littérateurs, beaucoup d'entre eux l'ont payé de retour en lui faisant une place dans leurs œuvres dans lesquelles il est même arrivé à certains de l'utiliser délibérément pour l'intérêt artistique ou anecdotique qu'il représentait à leur yeux. » (François Bonal.)

2

Les racines culturelles du champagne

Légèreté, couleurs, vivacité…

Divertissement au champagne champêtre

SUR LES AILES
DIAPHANES DU PASSÉ...

E t comme un vol d'oiseaux d'or à travers notre histoire, de légendes en traditions, de récits en symboles et de rites en fleurs liquides, jaillissantes et pures, comme un grand voile de gaze orné de perles, des rêves tissés d'écume flottent dans toutes les mémoires.

Voici la lumière et la nuit. Le mariage des ombres et du jour est célébré depuis longtemps. De cette union qui enfante des anges, naissent encore des émotions cueillies aux abysses délicats de la terre et de la pensée. Le destin d'une civilisation se joue sur le fil charmant et redoutable du funambule. Un pas, un geste de trop, tout s'écroule ! Les veilleuses magiques de l'esprit, la grâce et l'équilibre, exigent de l'art et de la vie que leurs formes soient tracées dans l'espace d'une touche presque immatérielle. C'est alors que s'organise la singulière existence d'un chef-d'œuvre. L'histoire n'est pas un long corridor glacé où vogueraient des fantômes ; l'histoire est un tressaillement continu au cœur de l'homme, le souvenir de ses origines secrètes, la preuve suprême que rien ne meurt en définitive, et qu'en atterrissant un jour sur le sol de son pays natal, l'être humain accomplit la prophétie des dieux. Pour un instant trop court et cependant incomparable...

Certes, dans l'océan du ciel on peut jeter son ancre, mais la terre nous promet de merveilleuses délices et si la poésie, la peinture ou la musique excitent l'esprit, je dirais que le champagne est un lien entre la vie terrestre et les sources de l'univers. Son parfum, sa couleur et sa danse hantent les siècles et, de même que l'homme ne vit pas que de pain, il ne se désaltère pas que d'eau... J'évoque ici une soif spirituelle, qu'apaise déjà la simple pensée d'une flûte ou d'une coupe, sur la voie lactée de l'amour, posées comme des regards.

TOUTE UNE ÂME DANS UNE COUPE...

Écoutez les Gascons, c'est toute la Gascogne... »

Et les Gascons de Cyrano pleurent en entendant chanter leur terre.

« Ecoutez les Français, voici toute la France... »

Il n'en faut point pleurer, mais se réjouir au contraire, qu'aux marches de l'Est, une province difficile offre à la France un sang de gloire et de soleil. Difficile et si belle... Qui n'a pas vu la Montagne de Reims enveloppée de neige, les vignobles d'Epernay bleuir sous le ciel ou les pampres roussis par les feux de septembre, a privé ses yeux d'harmonie et d'espérance ; car la Champagne est un perpétuel espoir. La vigne, puis le raisin, puis la vendange, puis les sarments, puis les derniers éclats de l'automne, puis le blanc vêtement de la neige, puis le retour du soleil et la

Le remuage

Les vendanges

Paysan champenois

Artisans traditionnels de Champagne

ronde séculaire, tout ici captive l'âme, étreint le cœur et crée sans fatigue la demeure du champagne.

Demeure admirable en vérité, dont les murs sont de ciel et d'espace, et qui fut, dès longtemps, chantée par les savants les moins poètes. L'abbé Rozier auteur d'un *Cours complet d'agriculture* : « ... C'est à peu près au milieu du siècle dernier [il écrit en 1772] qu'on a commencé à parler de l'excellence des vins de Champagne : cependant cette province n'est pas dans une exposition plus méridionale que l'Isle de France et la Lorraine, où les vins sont plats et faibles. Je le répète, c'est par les soins multipliés que les Champenois ont pris de leurs vignes, et la perfection qu'ils ont donnée à leur méthode de faire le vin, qu'ils sont parvenus à fixer ce degré de délicatesse qu'on leur connaît... » Bien sûr ! Mais nous aurions mauvaise grâce à penser et à écrire que les Provençaux ne prennent pas soin de leurs vignes et ne tentent pas d'apporter à leurs méthodes cette perfection qui est l'un des caractères de la France... Pourtant, le vin de Provence... eh bien... ce vin nourri dans le soleil, au paradis, eh quoi ! Ce n'est pas un grand vin... Il y a donc une conjonction étrange de l'art, de la terre, du soleil et d'une action imprévisible de la nature, un mariage des sciences aériennes pour un résultat incontrôlé, spontané, mais qui donne le champagne, le bordeaux ou le bourgogne. La France est ainsi ! D'abord, ses frontières sont les plus belles d'Europe, ensuite, la providence a jeté dans ses sillons une manne délicieuse. Encore, pas dans tous ! Ce n'est pas une mince surprise que de constater, d'un morceau de terre à l'autre, en Champagne, des oppositions irréductibles désormais définies par les lois. Comme Montesquieu avait donc raison : « Les lois sont les rapports nécessaires qui dérivent de la nature des choses. » En Champagne peut-être plus

Restaurant Boyer à Reims

35

que partout ailleurs. N'est pas de Champagne vin qui veut ! Un kilomètre plus loin, c'en est fini de la grâce.

Ne sont donc vraiment, naturellement et légalement de Champagne que les vins élaborés dans les régions suivantes : la Montagne de Reims, la Vallée de la Marne, la Côte des Blancs, une partie de l'Aube.

Il n'en faut point sortir et, plût au Diable que l'on en sortît, les rigueurs de la plus féroce législation qui soit remettraient à leur place des contrefacteurs assez hardis pour vouloir imiter l'inimitable.

ENSEMBLE, HEUREUX DE L'ÊTRE...

La culture n'est pas seulement, je crois, « ce qui reste quand on a tout oublié », c'est encore ce qui rend heureux. Si le champagne est devenu, à travers les temps, l'âme visible, frémissante et légère de la France, le symbole de notre pays, malgré tous ses autres vins, Dieu sait s'il en est, il le doit au bonheur qu'il procure, il le doit au fait qu'on ne le boit pas pour être heureux, mais parce que l'on est heureux. Considérable et mélodieuse différence... La vie sociale se déroule sous les pouvoirs conjugués de ces deux muses, la réalité et le mythe.

Le mythe social naît de la réalité. On veut paraître, apparaître, briller, voir, se montrer, réussir, mais rien ne se pourrait, par exemple, sans le cadre, quelquefois contraignant, auquel on revient toujours, de la famille, première muraille de la sécurité humaine et souvent animale... Seul donc parmi tous nos vins, le

Champagne, arbitre des élégances…

Champagne, témoin du luxe…

champagne s'est installé dans les consciences et dans l'inconscient collectif entre une comédie de Molière et un tableau de Chardin. Dans l'ordre des joies gastronomiques, il est le verbe et l'esprit de la France. Ses racines culturelles poussent au plus profond de notre sol spirituel. J'oserais dire que le champagne n'est même plus un vin ! C'est une extase intelligente, bien close dans son flacon unique, extase qui ne s'évapore pas, et dont les subtiles fragrances parfument le cœur aussi bien que le corps, tout de même qu'un beau poème de Verlaine embaume le cerveau et donne grand air aux poumons. Tout est parfum en France, tout est couleur, vivacité. On peut résumer la littérature anglaise : Shakespeare ; l'allemande : Goethe ; l'espagnole : Cervantès ; l'italienne : Dante... Quel nom résumerait la littérature française ? Rabelais, Molière, Racine, Voltaire, Balzac, Proust, Hugo ? Que sais-je ? Ils sont tous une pierre de la haute cathédrale... Mais, dites-moi un peu : qui résumera la France, là-bas, très loin, dans des pays « où furent des parents » selon le mot de James ? Le champagne. Il contient les vertus de chacun et de tous, il colore le passé. dessine l'avenir, il est l'âme universelle de notre pays, celui par qui l'esprit ne nous quitte jamais, la lampe de feu et d'or à la chaleur de laquelle on puise le plaisir de créer, l'encre cristalline qui rédige d'elle-même les chapitres de la vie, cette fête.

Paris • CHAMPAGNE

Reims

Ville-Dommange

Rilly

Sillery

Beaumont-s-Vesle

Mailly

Verzenay

Ludes-le-Coquet

Verzy

Vesle

MONTAGNE DE REIMS

Marne

VALLÉE DE LA MARNE

Hautvillers

Louvois

Bouzy

Épernay

Ay

Tauxières

Cramant

Marne

Avize

CÔTE DES BLANCS

vers Châlons-s-Marne

Le Mesnil-s-Oger

Vertus

*Le pays
de champagne et
du champagne*

Nord

Ouest ← → Est

Sud

Aux confins de l'histoire

Il y a toujours eu des vignes en Champagne. La légende veut même que cette culture date des temps préhistoriques ! Certaine feuille de vigne fossile... N'allons pas si loin. Sans doute est-ce à partir du IVe siècle après J.-C. que la terre champenoise se couvre peu à peu de vignobles. Sans doute, saint Remi, évêque de Reims en 459, aimait-il le bon vin, comme nombre de religieux d'ailleurs, mais ce n'est qu'au XIIe siècle que commence le commerce des vins de Champagne ; en 1388, Philippe II le Hardi, duc de Bourgogne, en achète pour ses caves. On ne songe encore ni à l'écume ni à la mousse... Jusqu'au XVIIe siècle, les vins de Champagne sont connus, mais ils ne jouissent pas de la réputation que va leur donner l'invention d'un bon moine — toujours des religieux — dom Pérignon. « Bénédictin, né à Sainte-Menehould, mort en 1715, il rendit de grands services à la province de Champagne en lui apprenant comment il fallait combiner les différentes espèces de raisins, pour donner à son vin cette délicatesse et ce montant qui l'ont si fort accrédité. » Selon toute vraisemblance, dom Pérignon n'a pas inventé la mousse qui n'apparaît officiellement en France que vers

1725. Les Anglais seraient plutôt responsables de cette révolution — comme de quelques autres —, car on aimait à faire mousser les vins, en Angleterre, depuis les débuts du XVIIe siècle. Ce qui est vrai, c'est que le champagne vivant doit son succès à la mousse. Dès lors, il grandira sans cesse. Les rois de France ne s'en lassent pas et comme ils donnent le ton au monde, c'est-à-dire à l'Europe, et comme les révolutions font de chacun un roi, le champagne, tant mieux, est devenu notre couronne.

Abbaye d'Hautvilliers où vécut dom Pérignon

3

Les symboles inconscients

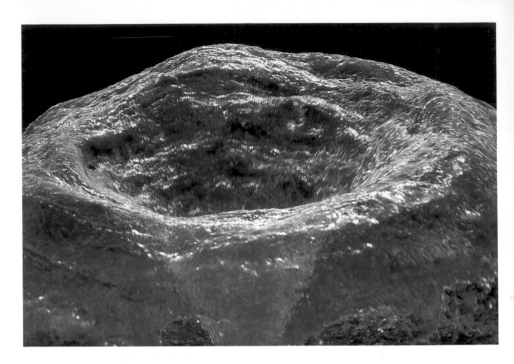

Sabrons à la beauté des femmes

DERRIÈRE LE MIROIR, LE CŒUR ET L'ESPRIT...

Si les miroirs sont bien cet espace de transparence et de pureté immortalisé par les films de Cocteau, espace d'où jaillissent les poètes, où ils se fondent, ils possèdent encore beaucoup d'autres vertus, et, en particulier, celle de renvoyer les rêves.

Le verre est au champagne ce que le miroir est aux songes. Dans le cristal baigné de lumière, le regard ébloui découvre l'élégance d'un mythe, soudain vivant aux lèvres, à l'esprit et au cœur. Le verre de cristal, évocateur de la vie fragile et dure comme le diamant glacé des étoiles, est le miroir parfait du champagne ; à travers lui, la couleur et le parfum semblent mêlés dans une danse de perles. La flûte, au nom si musical, ne compte plus ses partisans ; la coupe a perdu presque tous les siens. La bataille se joue ailleurs, dans l'inconscient, dans le plaisir du geste, des doigts effleurant la douce charpente où scintillent les petits astres de l'écume. Peut-être le souvenir lointain de l'océan originel nous émeut-il au spectacle de cette vague immobile et gravée qu'est un beau verre à champagne ?

Quant à la bouteille, nous l'aimons lourde, solide, résistante, semblable à une sombre colonne qui

pourrait être l'image de l'homme campé sur la terre, toujours prêt à s'envoler par l'esprit...

Pleine, une bouteille de champagne pèse 1,650 kg. Vide, elle présente moins d'intérêt pour l'amateur, mais ses 900 g font encore un poids qui est peut-être celui d'une âme...

D'ailleurs, pour fabriquer une bouteille, on souffle le verre. Qu'est donc un souffle, sinon l'esprit ?

Bouchon, frais champignon parfumé, que de bêtises on commet en ton nom ! Béranger a trouvé le mot juste, comme souvent. Le bouchon doit « partir » et surtout pas « sauter ».

« Le bouchon part, l'esprit pétille
La décence même y babille
Et par la gaieté qui prend feu
Se laisse coudoyer un peu... »

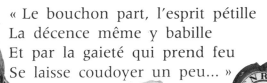

Le départ, l'envol du bouchon ont leurs musiques et leurs octaves. Quand l'air fait rouler sous nos yeux les gouttelettes de la mousse, le bouchon achève son existence. Pourtant, le bouchon a joué un rôle essentiel dans la qualité du champagne puisque la puissance du gaz carbonique vient se heurter aux frontières de liège. On doit honorer le bouchon, lui rendre un hommage discret, et libérer d'une main douce toutes les merveilles cachées sous son cœur hermétique. On ne doit point se plaire au bruit des bouchons, mais à leur chant, comparable à celui du vent sur la mer. Ces aimables tonalités évoquent alors les murmures étranges entendus dans un coquillage, et je ne suis pas éloigné de penser que l'ouverture d'une bouteille limite les premiers glissements furtifs d'une tempête sur les nuages.

A TRAVERS LES FÊTES ET L'ÉLÉGANCE...

Qui n'en conviendrait ? Le monde est un théâtre ; chacun y joue son rôle au mieux. Tous, nous sommes des personnages. Et le champagne en est un lui aussi, le maître des élégances, l'arbitre des fêtes...

La fête naquit avec l'homme ; sans elle, notre existence et celle de nombreux êtres vivants ne seraient qu'un triste calcul, au terme duquel on compterait encore et toujours la succession des jours et des nuits. La grandeur, l'apparat, le mystère des nations se résument dans l'élégance et la beauté de

47

leurs fêtes. La magie du champagne tient à ses relations avec tous les bonheurs de la vie. C'est à lui que nous sommes redevables d'une forme d'élégance unique de nos jours, une élégance personnelle qui se définit dans le choix d'une marque ou par le moment privilégié de goûter au champagne et de l'offrir.

L'élégance est tout ; elle dirige les plaisirs, organise les rapports des hommes entre eux, rend hommage à la vie en la teintant de bienveillance et d'ordre aimable. « Moi, c'est moralement que j'ai mes élégances... » Cher Cyrano, modèle des vertus intelligentes ! Il me rappelle ces vieux exilés russes, ruinés, qui n'avaient de cesse, en recevant leurs amis, qu'ils n'eussent ouvert à leur intention la dernière bouteille de champagne. C'était toujours la dernière... La fête et l'élégance unissant au suprême degré leurs atours. Car la fête a ses lois et j'aime que le champagne, dans l'éclaboussement voluptueux de son écume, en figure l'une des plus pures et des plus transparentes.

La marquise de Montecatini appartenait à l'une des plus grandes familles d'Italie, au temps où chantait en Europe l'inoubliable Malibran. Or, un soir, la Malibran refusa de chanter à Florence et n'accepta de se produire qu'à Lucques, en Toscane, pour séduire le théâtre Del Giglio. Madame de Montecatini vivait à Lucques et l'on savait qu'elle adorait si fort l'opéra qu'elle ne manquait jamais, après les représentations, d'offrir à ses chanteurs favoris des fleuves de champagne... La Malibran ne douta point qu'elle fût la favorite d'une si grande dame et, ramenée au palais au milieu des flambeaux, elle rafraîchit sa gorge miraculeuse de champagne préparé à son intention...

Enchanteur, éphémère et champagne de flamme

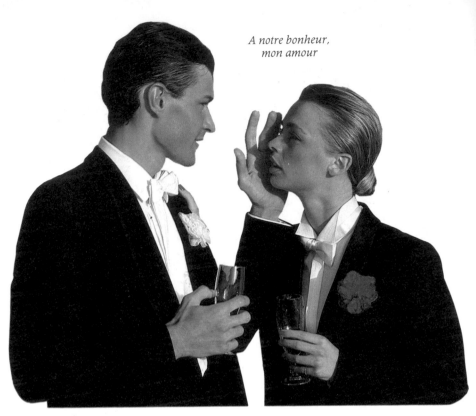

A notre bonheur,
mon amour

« *My Fair Lady* » : *pour toutes les victoires*

Chez la princesse Mathilde et sur toutes les tables aristocratiques

Ce n'est point à mes yeux pur hasard si la France a inventé le champagne, la France, au centre de toutes les lumières, carrefour des grands esprits, des talents et des gloires, origine des goûts et de la politesse... Il fallait bien célébrer tous ces dons ! Le champagne seul convenait à ce florilège et le rite de la fête, s'il ne s'est pas formé avec le champagne, a pris avec lui sa place dans l'inconscient collectif des peuples.

Je ne sais pourquoi, je sens que l'amateur de champagne ne peut être vulgaire. « ... Que la vie est une fête », disait Jouhandeau, mais aussi que les limites en sont nettement marquées. Fête n'est pas orgie. Et le champagne qui sied si bien aux femmes, je le verrais mal dans une débauche, ne fût-elle que gastronomique. Le champagne engendre la mesure. Il contient un talent de métamorphose qui transforme ceux qui l'aiment et les illustre d'une douceur bienheureuse étrangère à l'ivresse. En bref, le

Sublime et immatérielle transparence champagnisée de la volupté alanguie

champagne est l'ami des élégants, il faut y revenir. On ne boit pas du champagne partout, en n'importe quelle occasion ; on ne l'offre pas à tout propos et... à n'importe qui ! L'un des charmes de notre époque est que l'élégance appartient à tous ; point besoin d'être « né » ou d'étaler ses richesses, au contraire même. Le goût du champagne, à ce propos, constitue un signe distinctif qu'il faut cultiver. Et de plus, voilà un goût qui exige le développement de trois sens : la vue, l'odorat, l'ouïe. Un bon champagne est beau, il fleure le soleil et la bonne terre, il s'entend.

> « Soleil, toi sans qui les choses
> Ne seraient que ce qu'elles sont...
> Champagne, toi sans qui la vie
> N'aurait que la couleur du gris... »

Il est peut-être curieux de traiter d'élégance, de cœur, d'esprit, quand on ne devrait aborder que le palais ou... l'estomac ! Et pourtant, le champagne, nul ne l'ignore, noue les liens de la vie, comme le soleil précisément rejoint la terre, le champagne provoque des fantaisies, des affections, des passions quelquefois, il symbolise les conversations spirituelles ou sentimentales, c'est un dieu ravissant qui s'adore des lèvres. Les mots d'esprit qu'il inspire sont légion. En voici un pourtant peu connu et... pétillant :

« Messieurs, dit-on dans un dîner, savez-vous que mademoiselle de... vient de s'unir avec un grand marchand de champagne ?

— Non...

— Je vous l'apprends ! mais elle y a mis une condition.

*La nuit, dans les cabarets,
la fontaine de champagne
ne cesse de couler*

— Laquelle ?

— Chaque année, elle ira prendre les eaux... »

Il se trouve bien des endroits où le champagne « coule à flots » et, faut-il écrire hélas ? lieux de fêtes néanmoins, de plaisirs obligés, mais enfin lieux où l'on s'amuse et ce sont les cabarets, les bals, qui n'ont pas peu contribué à la réputation de Paris. Deux charmants livres d'André Warnod perpétuent leur mémoire, pour ceux qui ont disparu : *Bals, cafés et cabarets* et *Les Bals de Paris*. De l'un (*Bals, cafés et cabarets*), je retire ce petit extrait pittoresque : « [Le samedi soir] c'est le grand soir. C'est la vadrouille hebdomadaire à laquelle se croient forcés les jeunes gens dans le commerce ou les affaires qui ont de l'argent et entendent prouver une fois par semaine qu'ils savent le dépenser. Alors, après avoir été au théâtre ou au music-hall, à minuit ils montent à Montmartre, de l'or plein leurs poches. Là-haut, on les attend ! Les restaurants de nuit ont préparé leur champagne, leurs Tziganes et leurs Espagnols... » L'extrait date de 1913, mais il représente toujours assez bien le contraire de l'élégance...

CATHÉDRALE DE LUMIÈRE ET DE SACRE...

S i les grandes cathédrales conservent encore bien des secrets, ce n'est pas leur silence qui en est cause ; elles furent les livres, les musiques, les tableaux de nos ancêtres. Les vitraux parlaient... mais ils ne disaient pas tout, et quelque grand dessein a pénétré l'esprit des bâtisseurs, qui l'ont transmis à la pierre, au sable fabuleux des rosaces, peut-être pour l'enfouir dans la mémoire architecturale de la chrétienté ? La cathédrale est une idée, un acte de foi, une pensée profane dans certains cas... Le songe païen n'est pas absent non plus de ces phares qui se dressent, après les guerres, parmi les ruines, comme les témoins muets d'une âme indestructible.

Fulcanelli, grand savant en interprétation de la cathédrale gothique, émet une opinion extraordinaire et j'y vois quelques liens avec le champagne et ses amants qui se rassemblent dans la singulière confrérie des gens de bon goût. Que ne dit pas notre auteur, mon Dieu... Il dit que l'expression « art gothique » est une déformation du mot « argotique » ; il poursuit en affirmant que la cathédrale est une œuvre « d'art goth » ou « d'argot », langage que les dictionnaires définissent comme étant particulier à tous les individus qui ont intérêt à se communiquer leurs pensées sans être compris de ceux qui les entourent. Il persiste en écrivant : « Les argotiers, ceux qui utilisent ce langage, sont descendants... des argo-nautes, lesquels montaient le navire Argo, parlaient la langue argo-

*Éblouissements
de lumière
pour des étincelles d'or*

tique... en voguant vers les rives fortunées de Colchos pour y conquérir la fameuse Toison d'or. » Et, toujours d'après Fulcanelli, les voyous sont des voyants, des enfants du soleil, et l'art gothique, l'art go, l'art de la lumière ou de l'esprit. Fulcanelli ajoute une note encore plus captivante si possible, eu égard à notre sujet : « Au Moyen Âge, on la qualifiait [la langue argotique] de gaie science, ou gay sçavoir, langue des dieux, Dive-Bouteille. » Dive-Bouteille...

Voici la cathédrale devenue un sublime verre à champagne dans la lumière dorée, bleutée des plaines que touche la nacre rose des crépuscules...

La cathédrale de Reims, qui contient l'un des plus beaux « trésors » de France, est un chef-d'œuvre d'architecture et de sculpture du XIIIe siècle. Reims fut, dès l'an 290, le siège d'un évêché, Clovis y a été baptisé en 496 et, dès lors, on y sacra les rois de France. Ils le furent tous, Charles X compris (1757-1836) à l'exception de Louis XVIII, premier souverain de la Restauration après la chute de l'Empire.

La cathédrale de Reims, haut lieu des sacres royaux

Jeanne d'Arc au sacre de Charles VII

NUIT DE BRONZE ET DE JOYEUSE EXTASE...

S'il est des amateurs encore plus raffinés, qui se plaisent à boire leur champagne... le matin, pourquoi pas ? A l'heure du déjeuner en apéritif, ou le soir, avant de dormir dans la douceur vive qui coule en eux la glace et le feu, pour la plupart, il y a une idée nocturne dans le champagne, que renforce encore la couleur des bouteilles où se cachent toutes les promesses de l'aube prochaine. La nuit n'est pas

Charles VII

Né à Paris, en 1403, il régna sur la France de 1422 à 1461. L'homme ne manque pas d'intérêt pour nous. Non seulement, il a connu une existence agitée, mais encore il a donné son nom à une prestigieuse cuvée de champagne. C'était le fils de Charles VI, le roi fou, et d'Isabeau de Bavière. Il conserve le sobriquet de « roi de Bourges ». A son avènement, la France vivait sous la domination des Anglais ; ils étaient partout et notre jeune souverain possédait Bourges et sa région. Il ne montrait guère de dispositions à libérer son royaume, quand la France elle-même entendit la voix de la France : Jeanne d'Arc parvint à donner au roi confiance en sa propre puissance. La Pucelle fit si bien que Charles VII fut enfin sacré à Reims, comme il se devait, en 1429. Le pouvoir anglais chancelait. Vingt ans plus tard, en 1450 et en 1453, à Formigny puis à Castillon, les Anglais, battus, quittèrent notre pays. Seul, Calais resta sous leur puissance. Charles VII, qui était le père d'un génie, Louis XI, gouverna bien la France, lui assurant de saines finances et triomphant d'une révolte seigneuriale, la Praguerie, soutenue par son fils lui-même. Il est juste qu'une cuvée de champagne royal, la cuvée Charles VII, perpétue son nom et l'honore.

qu'un moment de détente, de liberté ou de repos, c'est aussi la Reine dont s'illumine *La Flûte enchantée* de Mozart, c'est l'apaisement entier des clartés violentes, c'est une magie qui augmente les battements du cœur humain et les rapproche de la mousse et de l'écume dont la floraison dans les verres a le mouvement du sang dans les veines, de la vie, de la danse, complice du plaisir...

La nuit est le grand poème du jour un peu gauche, un peu timide, tandis qu'entre les étoiles et l'homme s'instaure un dialogue divin, une espérance interstellaire sur les chemins tremblants de la voie lactée. Et puisque tout nous est symbole, cette envoûtante voie lactée ne figure-t-elle pas, dans l'espace infini vers quoi tendent nos pensées, une traînée délicate d'écume, de mousse et comme l'éclatant essor d'une bouteille de champagne démesurée qui serait ouverte sur le ciel nocturne pour désaltérer Dieu ? Certains amants de ma connaissance, pendant la guerre, s'étaient promis chaque soir de contempler ensemble, à la même heure, l'étoile du berger, dont le scintillement bouleversait leurs propres cœurs. Au retour, ils enfermèrent à jamais l'étoile en eux, captivant ses reflets dans un verre de champagne bu de leurs lèvres à la même coupe... Quatre ans de nuits étoilées rassemblées dans le fugitif instant d'un feu d'artifice éternel autant que la vie humaine ! Car le champagne et la nuit invoquent le rêve, l'illusion de se dépasser soi-même, de plonger son être dans un bain d'or et de brume, d'où notre chair et notre esprit reviennent purifiés, comme fixés sur la toile invisible, inaccessible et pourtant perceptible de l'espace où l'homme rejoint les origines de la nature.

Dans les décors somptueux, le champagne ajoute à la somptuosité

Comme une mousse illuminée sur la féerie de Versailles

Puisque la nuit détient de vastes pouvoirs, les rois, les princes et tous ceux qui croient gouverner les peuples ont cherché, trouvé, cherchent encore et y trouvent de plus belle, un sceptre singulier qui les distingue du commun en laissant accroire que la vie se passe pour eux en fêtes perpétuelles où le champagne chanterait sans cesse les délices de l'autorité, religieuse ou politique... Sans doute n'use-t-on pas moins du champagne dans les cours princières que dans les humbles foyers, mais, de nuit ou de jour, c'est peut-être davantage le pouvoir sur soi-même que sur les autres qu'il importe de demander au vin parfait.

Comme toutes choses, le champagne ne souffre pas l'excès ; il aime la sobriété gourmande ; il aime, bien sûr, que le pouvoir le monte en triomphe et le montre, tel un héros antique proclamé à la gloire d'une victoire ou dans l'espérance d'un grand destin, mais le champagne est chaste ! D'ailleurs, cette chasteté ne va pas sans trouble... Chasteté spirituelle d'abord, qui entend la mesure, l'équilibre et la modération ; chasteté physique ensuite, puisque — les femmes le savent bien — le champagne est « le seul vin qui les laisse belles après boire ». On en conclurait aisément que le pouvoir des grands peut prendre des leçons dans le champagne et dans la Champagne, que la facilité n'engendre pas le succès, que rien ne se fait n'importe comment, ni le champagne ni la politique, et que, le soleil n'étant pas l'astre principal de la Champagne, de même que la lumière n'est pas la vertu cardinale des politiciens, une grande œuvre a moins besoin pour éclore de conditions extérieures que d'un sol prédestiné et de soins attentifs...

DE PURETÉ, DE CRISTAL ET DE GLOIRE...

L a pureté nous hante. Le thème soutient tous les grands livres religieux, et il n'est point de philosophie, de préceptes divins qui n'aient pour source ou pour mission de nous assurer le retour à l'eau claire et vive de notre apparition sur terre, ou de nous conduire vers la pureté absolue de la vie éternelle. Le pur amour est une illusion, mais après quoi les hommes courent. Pendant des millions d'années, jusqu'à Freud, nous avons cru à la pureté des enfants et nous y croyons sans trêve, parce que la pureté attend encore sa vraie définition. La poésie d'un Villon, d'un Verlaine, d'un Rimbaud ne prend-elle pas racine au centre d'un monde pur qui nous attire ? La pureté n'existe peut-être pas matériellement, du moins l'esprit humain a-t-il su forger les symboles qui le rassurent. Sans exagérer ou tomber dans les louanges excessives, il est vrai que le champagne a pris forme de pur symbole. On le garde, on le préserve, on le boit avec certaines précautions, en des circonstances choisies, il s'apparente à l'eau — source de vie — qui fut la matière du baptême, ainsi prend-il place dans la symbolique religieuse dont il possède le parfum diabolique et pur précisément. Et comme la gloire est fille de la pureté, on a longtemps réservé le champagne aux aristocrates, à l'élite de la naissance et de l'argent. Heureusement, nous avons démocratisé nos habitudes. Pourtant, il n'est pas inconvenant de penser que, en buvant du champagne, nous nous associons aux images des grandes fêtes de

HAVAS - REIMS

l'Ancien Régime, toujours très fortes en couleurs et présentes dans l'inconscient collectif d'un peuple qui n'en finira jamais de tuer son roi... Le roi, c'est nous, désormais ! Il ne suffit pas de le dire. On le prouve aussi en adorant ce monarque des raisins, cette bouteille qui est un sceptre éphémère, cette belle écume dorée qui a la consistance de l'air et le parfum d'un océan maîtrisé, cet or en fusion fraîche, écume, air, parfum et or dont nous satisfaisons nos songes de gloire et qui nous éternisent en nous grisant d'une exquise chimère.

Volcan végétal, symbole de vie et de mouvement

Illustration de Gruau

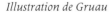

Le sacre de Louis XVI

Le vendredi 9 juin 1775, accompagné de la reine Marie-Antoinette et d'un grand concours de monde et de pompe, Louis XVI entra dans sa bonne ville de Reims, ornée de tapisseries et de bannières, envahie de badauds enthousiastes. Par un temps magnifique, le roi prit place dans le grand carrosse des cérémonies, entièrement recouvert d'or, paré de peintures et de vastes plumes. Deux compagnies de grenadiers rutilants d'or caracolaient aux portes. Devant le carrosse du roi, avançaient les carrosses de sa maison. Sur le parvis, ce carrosse produit l'effet le plus éclatant. La foule trépigne, acclame son jeune souverain de vingt ans. La nef est remplie de seigneurs parés comme dans les contes de fées, la reine et ses femmes donnent le spectacle de la grâce la plus accomplie, de la beauté, de l'élégance. Louis prononce les serments traditionnels. Puis, tandis que Sa Majesté Très Chrétienne est étendue sur le sol, l'archevêque la consacre par six onctions à même la peau : « Que Dieu vous couronne de la couronne de la gloire et de la justice... et vous arriverez à la couronne éternelle. » Le 14, le roi touche les écrouelles : « Voici : le Roi te touche, Dieu te guérit. » Le soir, aux réceptions et aux banquets, on but... du champagne.

4

Le champagne et le mythe social

QU'UN AMI VÉRITABLE
EST UNE DOUCE CHOSE...

Selon Goethe, « il n'y a pas de joie plus vraie ni plus ardente que de voir une grande intelligence qui s'ouvre à vous ». (*Werther.*) Paraphrasant Sacha Guitry, je dirais qu'il ne faut point douter de ce que dit Goethe. Or, une grande intelligence qui s'ouvre à vous, un grand cœur aussi, portent en eux l'amitié, ce « bienfait des dieux »... Le champagne, compagnon des fêtes et des rencontres sympathiques ne joue-t-il pas alors un rôle nouveau, en déliant les langues qui sont la voie des confidences ou des secrets ? On ne devient pas évidemment l'ami d'un homme, ou d'une femme avec qui l'on boit de conserve un bon champagne, mais tout de même, des liens seront créés et sans doute voudra-t-on se montrer dans toute la séduction de sa personnalité ? Le champagne engendre la tolérance, cette loi des amis ; il ouvre à l'esprit la route de la fécondité, de la souplesse ; on imagine mal, bien sûr, deux personnes de caractère entièrement opposé, choquant leurs flûtes pour trinquer à leur rencontre, à quelque bonheur partagé ou à l'organisation d'un de ces complots innocents dont s'éjouissent les relations humaines

La France et le champagne montent la garde au temple du bon goût

affectueuses... Le champagne offre aux amis la liberté de parler sans ennui, sans angoisse non plus ! Nul ne boit de champagne en des circonstances fâcheuses. Et puis, pourquoi le taire ? Il y a dans le champagne le petit dieu grec qui s'agite en nous et a formé le mot « enthousiasme ». L'esprit s'abandonne gaiement à une élasticité qu'il ne concevait pas auparavant ; le cerveau s'excite heureusement, cherche et trouve dans ses plis les mots, les pensées qui plaisent.

L'amitié, qui ne se tient pas loin de l'amour, est une fête à deux, une fête intime, privée, comme les cœurs accordés par des goûts communs les apprécient. La Champagne a bien le droit de tourner un peu la tête aux gens ! La Fontaine, par exemple, était affligé d'une distraction légendaire ; ainsi fut-il pris de l'amitié la plus vive pour monsieur d'Hervart, conseiller au Parlement de Paris. Ce gentilhomme habitait Bois-le-Vicomte, où il reçut le génial fabuliste. Celui-ci, tout à son nouvel ami, quand il voulut rentrer à Paris, lui tourna le dos et se perdit en... Champagne. L'affaire, connue de toute la Cour, valut à La Fontaine ces vers d'un obscur abbé :

« Il se lève un matin sans savoir pour quoi faire
Il se promène, il va sans dessein sans sujet
Et se couche le soir sans savoir d'ordinaire
Ce que dans le jour il a fait. »

L'histoire nous apprend que l'écrivain avait la distraction délicate ; n'a-t-il pas profité de son détour pour tâter des vins ?

Dans un instant, le champagne...

L'ANNÉE NOUVELLE EST UNE NOUVELLE ÉTOILE

Donc, pas de fêtes sans champagne, privées ou publiques. S'il est une date que l'on marque d'un signe particulier, c'est bien celle du 31 décembre, parmi d'autres ; mais la fin de l'année a beaucoup d'importance dans l'esprit de tous. On fait des cadeaux, on en reçoit, il semble que tout le monde s'aime et c'est bien agréable. A qui donc, de nos jours, viendrait-il une idée aussi étrange que celle de dire adieu à la « morte du 31 décembre » sans un verre de champagne en main ? A ce propos couraient, dans l'ancienne France, des anecdotes douces comme des contes de grand-mère. Par exemple : « Attention, marchez sans bruit, parlez bas ! Nous avons là une pauvre malade ; c'est notre année qui meurt ! Vieille année, vieille année, ne mourez pas... » Mais, aussitôt, on accueillait la nouvelle... verre en avant ! Et puis : « Je m'en souviens, vous êtes venue bien vite, jeune et brillante, avec le soleil qui grandissait à pas lents... Ne vous en allez pas ! Ah ! vous partez malgré tout ? Bon débarras ! Buvons à la santé de l'autre. » Et le champagne de s'en mêler. Que fait-on d'autre, aujourd'hui ? Jusqu'aux très jeunes gens, rebutés par l'alcool, tous aiment le champagne, qui n'est pas de l'alcool mais un cœur vivant qui bat dans les émois de leur propre cœur et rythme les joies de l'avenir comme il commémore celles du passé. Oui, le champagne tient de la France ! Comme elle, il vient de loin, comme elle,

il est inscrit sur le grand livre de demain. Il a le visage toujours jeune et souriant des années neuves. « Tiens, je boirais bien un verre de champagne », pourrait dire l'enfant qui vient de naître. Et nous donc ! A sa santé...

RÉUSSIR ET RESTER HEUREUX

Ce n'est pas si simple !

Les journaux, la télévision nous ont habitués à ces spectacles de gloire littéraire, théâtrale, cinématographique, sportive, à l'issue desquels le héros ou l'héroïne lève son verre de champagne... à sa propre réussite ! Il en est même parfois qui, confondant les genres, et dans leur joie exubérante, boivent au goulot. Du champagne au goulot ! Mais il s'agit toujours et encore de champagne. Il en est d'autres qui, oublieux des lois dont se réclame notre vin, en agitent la bouteille et laissent exploser les précieuses bulles.

Parlez-moi, par contre, de sabrer le champagne. Le sabrage est une vieille tradition. La Cour de Russie l'a exaltée et dans les grandes réceptions, la glorieuse cavalerie française qui aimait à s'amuser, à jouer, à rire, qui honorait la volupté, l'amour... et le champagne, voulait encore éblouir les dames.

Ainsi les officiers ouvraient-ils les bouteilles d'un geste spectaculaire et magistral. D'un coup de sabre, ils faisaient sauter le bouchon.

Je te baptise et je te lance

Pluie perlée venue de l'espace

God save the queen !

Course automobile et tempête fraîche

Vive la mariée !

*Le masque et les plumes
au carnaval des plaisirs*

De nos jours, sabrer le champagne évoque de la même façon les uniformes éclatants, les festivités solennelles, et l'ivresse poudreuse des grands bals où l'élégance, l'apparat et d'ineffaçables réjouissances agrémentent la vie d'une musique légère.

Il est vrai que le seul fait d'ouvrir une bouteille de champagne est une fête à laquelle savent sacrifier les gens de goût.

Mais il est vrai aussi que sabrer une bouteille est devenu un privilège qui multiplie le plaisir. Car le sabre possède une puissante symbolique. L'arme est noble, elle inspire à tous le respect et l'admiration. Sa beauté pesante semble refléter le courage et la gloire. Le sabre fut, un temps, suprême distinction, et précéda les récompenses napoléoniennes de la Légion d'honneur.

Rien de plus élégant que le geste de sabrer. On l'accomplit dans un cérémonial qui mesure la beauté traditionnellement chantée par Canard-Duchêne.

(Voir ouvrage Canard-Duchêne : *l'Art de sabrer.*)

Rien de plus émouvant. Du sabrage naissent des émotions avouables ou secrètes. Le bouchon s'envole sous la caresse musculeuse de la lame. A travers la gerbe d'écume se distinguent déjà de transparents plaisirs. Rien enfin de plus grisant que le succès obtenu par le sabreur lors de ce rite solennel.

Et que dire de cette grande fête originelle du baptême ? Dans bien des régions françaises, la coutume virile est restée, probablement instituée par le roi Henri IV, ou sacralisée par lui, d'humecter les lèvres du nouveau-né. Quelques gouttes de champagne glissent alors sur les tendres petites chenilles humaines et, précédant ou suivant le baptême de l'eau pure, celui, plus païen, de la terre et du soleil ajoute une dimension rabelaisienne à la nouvelle vie.

Quant aux gigantesques nefs de la mer, c'est le privilège des reines et des jolies femmes que de jeter à leur coque toute fraîche un coup de foudre en forme de baiser ; il les initie aux grands voyages, à l'aventure et aux déferlements des vagues, sœurs des écumes éblouissantes et champagnisées qui effleurent d'abord leurs sombres armatures.

Bien que les mariages les plus complètement heureux soient ceux qui ne se font pas, nous en connaissons tous de très accomplis mais nous n'en connaissons aucun sans champagne ! Comme aucun examen réussi. On console même des candidats malchanceux en leur offrant une coupe. La chose m'est arrivée !

FRANCE, MÈRE DES ARTS, DES ARMES ET DES LOIS...

On veut que la France et les Français aient de l'esprit ; ils en ont, mais point à revendre car si l'esprit se vendait, on rencontrerait bien un commerçant pour en tenir boutique... L'esprit des Français ferait l'objet d'un autre ouvrage ; celui de la France est dans son sol, ses bois, ses paysages... son champagne. Que les Français ne manquent pas d'esprit, je le veux bien, mais qu'ils nous fassent un peu grâce sur l'esprit des autres peuples, qui n'en manquent pas non plus, puisqu'ils aiment le champagne eux aussi. D'une pièce de Sacha Guitry, prise au hasard, on dit : « C'est du champagne ! » Quelle louange. Et la légèreté de la France a bien quelques traits de parenté avec celle du champagne.

Louis XV fut un grand roi. Il avait de la beauté et beaucoup d'esprit. Un jour, Sa Majesté entreprit de réconcilier le duc de Choiseul avec la comtesse du Barry. La Cour s'amusait à Meudon mais le parti de Choiseul, pendant une promenade, marchait d'un côté, celui de la du Barry de l'autre ! La politesse française obligeait tout le monde à bien se conduire ; on se saluait, on évoquait la douceur de juin, on s'inclinait devant le roi de France. Toutefois, les deux coteries ne se parlaient pas et ce silence déplaisait à Louis XV. Il conservait pourtant des espérances et réunit la société, le soir, autour d'un souper magnifique. La courtoisie ne triompha point de la froideur. Dès le lendemain, le duc de Choiseul s'éloignait à nouveau de la favorite. Que croyez-vous qu'il arriva ? Une lettre de cachet ? Pas du tout ! Le bien-aimé offrit un petit château à madame du Barry, ce qui, sans doute, la consola. Le duc de La Force eut alors un mot délicieux : « Sa Majesté ne peut donner à sa maîtresse le château de Versailles, qui est grand comme un sentiment et transparent comme du champagne. Il lui offre donc une maison petite comme un caprice. » En effet, le cadeau ne valait pas très cher, mais le mot de La Force fit beaucoup en France pour le champagne. On était en 1770.

Le roi chassait tous les jours. Fût-il devenu footballeur au xxe siècle ? Ou bien coureur automobile... Nul ne le sait ! A croire les journaux et la télévision, rien n'a plus d'importance, aujourd'hui, qu'un match international de football ou qu'un grand prix de formule 1. Rien ne comptait davantage aux yeux d'un roi français que la chasse, au point que, le soir du 14 juillet 1789, Louis XVI nota dans son « journal » : « Rien. » Il voulait dire : « Je n'ai rien tué. » La phrase fut mal entendue...

Spectacle presque quotidien et mythique, les modernes vainqueurs de nos modernes sangliers et oiseaux — un beau ballon rond ou ovale, une voiture de course — exultent à nos yeux en fouettant un peu trop fort le champagne, mais enfin c'est encore et toujours le champagne qu'ils agitent pour crier victoire. D'ailleurs, ne remet-on pas à nos héros la « coupe » du monde, celle de la gloire éphémère du sport, qui fait pétiller lui aussi nos veines et nos passions ?

5

Le champagne et le rêve

RÊVE LES YEUX FERMÉS ET LES LÈVRES OUVERTES...

Dans l'amour, ce qu'elle préférait aux fleurs, aux promesses, aux songes qu'il convoque, à l'amour lui-même, c'était ce goût de champagne qu'elle lui trouvait, sans doute inscrit en elle depuis son adolescence, depuis ce jour où, pour la première fois, un homme amoureux l'avait embrassée, puis, humectant ses lèvres d'un doigt rose encore de mousse, était venu sécher sa bouche d'un baiser champagnisé.

Ce soir, elle pensait à lui, à ce premier amant, le seul dont meurt une femme, selon Colette. A lui et aux autres... Avec chacun, elle avait imposé le rite du champagne et ce baiser, lointain déjà, revenait régulièrement à ses lèvres, de sorte qu'elle n'eût pas aimé un homme sans baptiser leur amour d'écume et d'ambre clair. Le monde contemporain nous a révélé que les femmes ne sont pas les seules à se bercer de rêves. Les hommes, comme elles... Le rêve d'une femme a, peut-être, plus de vérité et, s'il s'enroule autour d'un champagne, peut-être plus de vigueur...

Le champagne embellit toutes les femmes

Certainement, le champagne avait joué dans sa vie un rôle singulier ; non point qu'elle en bût tous les jours, mais elle se plaisait à le confondre avec les dieux de sa mémoire et ceux de son avenir. Un jour, apparaîtrait un homme qui posséderait le secret de la vie fantasque et gaie comme une treille de rose au printemps. Et le champagne en elle se comparait aux roses. Faire l'amour au champagne, c'était un art de vivre autrement, dans une société sans différences. Elle n'allait pas jusqu'à prendre ces bains de champagne où d'anciennes célébrités prétendaient se plonger, mais, mais quoi ? Non, pas de bains au champagne, mieux vaut le boire disait-elle, et ses yeux riaient, cerclés parfois de petites larmes. Des larmes de bonheur, bien sûr... Larmes d'argent qui coulent aux bordures des jolis verres.

Une nuit, un homme un peu mieux que les autres, amateur de grand brut, (« Brute ! » murmura-t-elle sans qu'il rît du jeu de mots) un homme plus beau que les autres avait ouvert dans ses rêves une route nouvelle. A l'aube, en la quittant, en buvant quelques pétales de champagne glacé, l'homme lui fit cette peine : « Je m'en vais, mais je ne t'oublierai pas. Ne m'oublie pas non plus et lorsque tu boiras du champagne, pense au bonheur de cette nuit... »

Et ce soir, précisément, elle y pensait, dans la symphonie miraculeuse d'une nuit estivale, tandis que là-bas, sur les rives du fleuve, des inconnus tiraient pour toute une ville un feu d'artifice incomparable, une magie de lumières, d'étincelles et de couleurs à travers lesquelles on voyait dans le ciel un poème liquide et nacré qui portait le nom du champagne.

Le champagne vivant

COMME UNE SOURCE D'EAU VIVE

Qui es-tu donc, beauté vivante ? A quel sorcier prends-tu tes sortilèges ? Moi, répondrait-il, je suis un chef-d'œuvre ; et comme tous les chefs-d'œuvre, je suis rare et je veux le rester. Point d'étiquettes, de bouchons ou d'emballages qui ne comportent la mention « champagne » ; point de vin autorisé à s'appeler champagne qui ne provienne des raisins produits en Champagne, dans la zone délimitée par la loi.

Je suis indispensable car je suis seul de ma lignée. Mes racines poussent dans une contrée tremblante de brume et de blancheur, sœur de la pureté. As-tu vu mes vignobles ? Ils ont souffert tour à tour des révolutions, des guerres, des maladies, mais ils ont triomphé et maintenant on leur connaît trente mille hectares. Les coteaux jadis désertés refleurissent et ploient sous les vignes mystérieusement colorées selon les saisons. Je suis aimé de dieux étranges, que l'on nomme vignerons et négociants ; ils me servent, ils me cultivent comme une pensée éternelle. Ils me respectent et même ils me craignent !

Pascal Andriveau, Président de Canard-Duchêne, dans ses œuvres

89

N'a-t-on pas dit de moi : « Le champagne est bien un produit de la nature. Deux fois en trois ans, elle nous l'a rappelé. En conséquence, nos activités seront toujours soumises à ses caprices, à ses variantes, à ses accidents et, bien entendu, l'organisation de nos activités, de notre économie, devra en tenir compte. » (Marc Brugnon, 1981.)

Et quand les dieux qui m'ont conçu me livrent au monde, d'autres dieux m'adorent et ce sont les amateurs, mes amants.

A ceux-là, j'impose des règles aussi sévères que celles dont je nais. Je suis une tempête et j'exige l'ordre. On ne me boit pas à la va-vite, n'importe comment et sans art. J'offre les leçons de mon passé à tous les jeunes qui me découvrent et forgent ainsi mon destin. J'étais hier et je serai demain.

Par moi, la vie joyeusement se consume dans une flamme limpide. Je ne puis ni mentir ni tromper, car mon parfum et ma beauté sont l'aveu même des qualités qui m'illuminent.

« Dis-moi, Champagne, dis-moi comment te boire ?

— En m'aimant...

— Mais encore ?

— Écoute... »

Et l'amateur fut éclairé.

Il y avait beaucoup à dire et beaucoup à entendre.

D'abord, et sans pour autant jouer la comédie, le champagne ne se boit pas tout de suite. Le plaisir est tapi dans le regard, dans l'odorat, dans l'oreille ; quel bonheur d'admirer la robe et ses multiples arcs-en-ciel : toutes les nuances du jaune scintillent dans le verre ; jaune pâle, vert, clair, pailleté, doré. Chaque petite bulle a sa vie propre. La mousse pétille. Vient alors le moment de respirer le vin. Privilège de connaisseur ? Non ! Signe de savoir-vivre, tout simplement. Le grand champagne a le parfum des grandes choses : agréable. Ensuite, goûter. Instant suprême... On goûte doucement, presque lentement... On ne boit pas encore... Pas tout de suite. Boire, mais à tout prendre, qu'est-ce ? La fin d'un rêve ; oui, mais le commencement d'un autre ! Ne pas boire trop vite peut-être, et s'inspirer des sages propos de Maurice Hollande : « [Le spectacle des bulles] symbolise le rapide écoulement de toutes choses, la brièveté de la vie. » Et sans doute, ne pas boire seul, car « ce vin, compagnon obligé des fêtes, des gaietés bruyantes, se révélerait aussi capable... de nourrir une songerie teintée de mélancolie ».

Mais la mélancolie a parfois quelque charme et je ne déteste pas boire un verre, ou deux, seul, pour évoquer le bonheur ou l'invoquer. Surtout, ne pas battre le champagne. Comme tous les êtres d'élite, il redoute la violence.

Et le dialogue se poursuit.

« Dis-moi, Champagne, quand te boire ?

— A toute heure...

— Sérieusement !

— Le vilain mot... »

Il n'est pas d'heure, c'est vrai, pour boire le champagne. La féerie peut surgir à tout moment dans l'existence, pourvu que l'on en ait envie. Pas d'heure, pas de lois. Le matin pour se mettre en bonne voie, à midi pour s'ouvrir l'appétit, le soir pour accueillir la souveraine sombre et sa traîne d'étoiles... Pendant les repas, au dessert, le champagne ne cesse pas d'être l'instigateur de la fête et du plaisir. Il convient à tous les mets, aux fruits de mer, au foie gras, aux poissons, aux volailles, aux sauces, aux viandes rouges, aux gibiers, aux fromages, aux pâtisseries... Le champagne n'est pas difficile, il aime tout ce qui est bon, et tout ce qui est bon le lui rend bien !

Rien n'est dit ! Chacun imagine, invente et compose pour lui-même les émois du champagne. Tout est dit, cependant. Un mot : la vie. Le champagne en est l'image et le reflet. Il vit plus et plus vite que les autres vins. A peine jailli du ventre de verre, le voici, fugitif et radieux, qui passe en nous comme une folle bulle d'air dont nous respirons les effluves et dont l'éparpillement dans nos cœurs en accélère les battements sans ombres ni craintes. On chavirerait dans les excès à trop parler de lui. Il peuple les espoirs des captifs et délivre les innocents de leur naïveté ; il est choisi par les hommes pour sa force et caressé par les femmes pour sa légèreté ; les jeunes gens l'ont compris pour la profondeur immatérielle des extases qu'il dispense et les vieilles personnes lui savent gré de leur conserver la tête froide... Il ressuscite dans nos palais un souvenir de mer ou de fruits, mais c'est pour, aussitôt, nous étourdir d'un voyage aux limites de l'univers, là où le raisin ne mûrit pas, sauf dans les cervelles poétiques des explorateurs de l'infini. Il est l'une des seules religions humaines qui n'ait provoqué aucune bataille pour assurer sa domination. Il ne domine pas, il flotte. C'est une source d'or au puits sensible de nos interrogations. Mystère fut et mystère demeure.

Parmi toutes les constellations qui embellissent la vie, le champagne dessine sans lassitude la ligne continue du bonheur.

Table
des matières

CRÉDITS

ANA — p. 20, 21, 37 (Le Campion)

BOLAÉ — p. 52-53 (« Leda et son cygne », sculpture de cristal de Bolaé. Miami, Floride, USA)

BULLOZ — p. 51 (Ch. Giraud), p. 60 (M. Denis, « Jeanne d'Arc au sacre de Charles VII » — Orléans)

CFRP — p. 6-7, 92

CHRISTOPHE L. — p. 50 (*My fair Lady*)

CINÉSTAR — p. 26 (*Ninotchka*)

DIAF — p. 55 (Pratt-Pries)

ÉDIMÉDIA — p. 24 (Tcherkessov-Benois, projet de décor pour *Le Rossignol*), p. 34 (Kharbine), p. 55 (Affiche de A. Fael), p. 56 (L. de Barry, « Train du plaisir » — Carnavalet), p. 59 (R. Guillemot)

FOTOGRAM — p. 49

GAMMA — p. 38 (Vioujard), p. 70 (Francolon)

GIRAUDON — p. 17 (J. F. de Troy, « Le déjeuner d'huîtres » — Chantilly)

BERNARD GRILLY — p. 33, 44

ALAIN HATAT — p. 58 (Cathédrale de lumière)

HAUTEMANIÈRE — p. 79

HUG EXPLORER — p. 33

IMAGE BANK — p. 10 (Arepi), p. 50 (Zao-Longfield)

LAUROS/GIRAUDON — p. 18 (Affiche de Chéret pour *La Vie Parisienne*), p. 25 (Costume de Bakst pour Nijinsky « Le Dieu Bleu » — Bib. de l'Arsenal), p. 30 (Dufy, « Ascot » — Musées Nationaux), p. 30 (Chéret, « Le Déjeuner sur l'herbe » — Nice, Musée Chéret), p. 37 (Forain, « Le Buffet » — Coll. Fédération Mutualiste Parisienne), p. 63 (H. Baron, « Souper aux Tuileries » — Compiègne)

MAGNUM — p. 67 (Ernst Haas, « La création »)

MARIE-CLAIRE — p. 84 (Newton)

ANDRÉ MARTIN — p. 74-75

SCRIPTO — p. 14, 35, 42, 46, 88

SEA & SEE — p. 44 (Février)

SIPA PRESS — p. 77 (Téhévenin), p. 77 (Hussein), p. 78 (Zihnioglu)

SYGMA — p. 77 (Tiziou)

TOP — p. 63 (Mazin)

ROGER VIOLLET — p. 84 (Dévéria, « Novembre »)

DROITS RÉSERVÉS — p. 66 (Affiche de Gruau)

ILLUSTRATIONS ORIGINALES : p. 39 (Cartographisme — Alcan), p. 44 (CFRP — Le Bal), p. 28 (Dessin Canard-Duchêne — J. Campan)

Mise en page intérieure et couverture : Didier Thimonier
Photo de couverture : André Martin

Iconographie : DOMINIQUE DESTREMAU.

Composition : EUROCOMPOSITION — Sèvres.

Photogravure : W. PHOTOGRAVURE — Neuilly Plaisance.

Reliure : BRUN — Malesherbes.

Brochage : MÉCANIC BROCHAGE — Évreux.

Impression couverture et jaquettes : SAGIM — Livry Gargan

Achevé d'imprimer le 15 septembre 1986
sur les presses de l'imprimerie HÉRISSEY (Évreux)

N° d'édition : 387 - N° d'impression : 40922
Dépôt légal : septembre 1986